Lala Salama

Una canción de cuna africana en swahili y español

A Muth y Fath, con cariño.

Lala Salama

HANNAH HERITAGE BOZYLINSKY

Versión en español de NURIA MOLINERO

S R A
Macmillan/McGraw-Hill
Columbus, Ohio

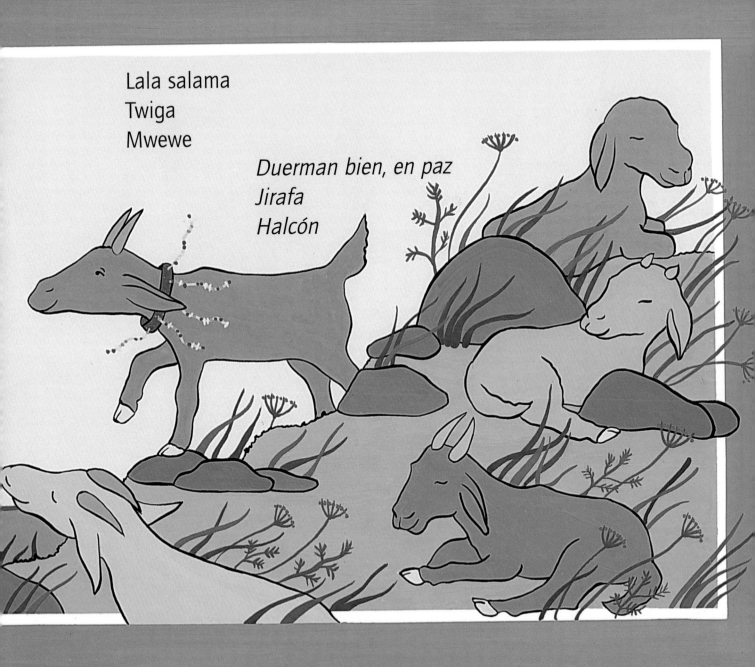

Lala salama
Twiga
Mwewe

Duerman bien, en paz
Jirafa
Halcón

Lala salama
Nyani
Nungu

Duerman bien, en paz
Mandril
Puercoespín

Lala salama
Fisi
Sungura

Duerman bien, en paz
Hiena
Liebre

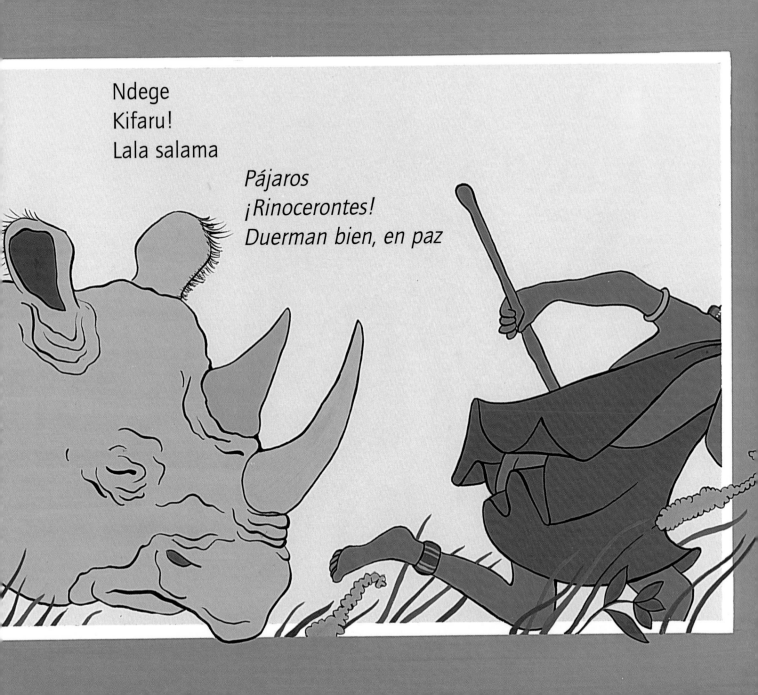

Ndege
Kifaru!
Lala salama

Pájaros
¡Rinocerontes!
Duerman bien, en paz

Salama
Swala granti

En paz
Gacela

Lala
Ngiri
Kiboko

Duerman bien
Jabalí
Hipopótamo

Lala salama
Tembo
Nyoka

Duerman bien, en paz
Elefante
Serpiente

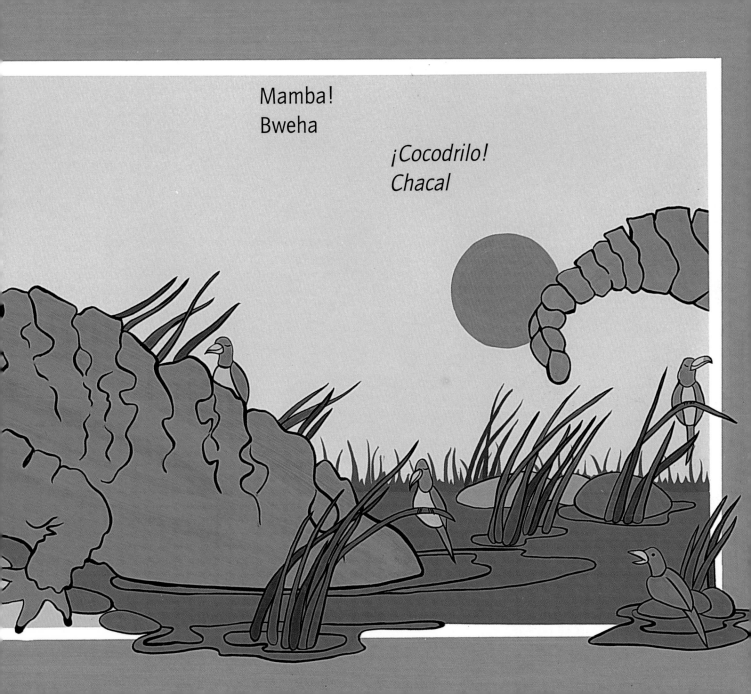

Simba
Nyati

León
Búfalo

Salama
Punda Milia
Lala salama

En paz
Cebra
Duerme bien, en paz

Ng'ombe
Mbuzi

Ganado
Cabra

Mama, Mama
Lala salama

Mamá, Mamá
Duerme bien, en paz

Lala salama

Duerme bien, en paz

NOTA DEL AUTOR

Para muchos masai, la vida ha cambiado poco en el último milenio. Los niños masai todavía reúnen el ganado y las cabras de la familia y, a veces, caminan muchas millas por la sabana salvaje en busca de comida y agua. Su única protección es un bastón o un pequeño garrote. Un niño masai no sabe cuántas vacas o cuántas cabras tiene su familia porque da mala suerte contarlas. Sin embargo, con una sola ojeada sabe si alguna se ha perdido o si una hiena o un león se la ha llevado.

Las niñas masai ayudan a sus mamás en casa cuidando a los niños más pequeños y a los bebés. También reparan la *boma* o cabaña con una mezcla de barro y estiércol que restriegan contra el techo y las paredes.

Al final del día, la familia bebe una mezcla de sangre de vaca y leche que se guarda en unas calabazas decoradas con piel y cuentas de colores. Esta bebida es el alimento principal de los masai.

Cuando visité a los masai, me pareció que su sencillo estilo de vida, su respeto y amor por la naturaleza, y el bello lenguaje de África del Este los convertía en los protagonistas perfectos de esta canción de cuna africana.

—*Hannah Heritage Bozylinsky*

PRONUNCIATION KEY

lala salama	LAˊ- la sa - LAˊ- ma	kiboko	kee - BOˊ- ko
twiga	TWEEˊ- ga	tembo	TEMˊ- bo
mwewe	m - WEHˊ- weh	nyoka	n - YOˊ- ka
nyani	n - YAˊ- nee	mamba	MAMˊ- ba
nungu	NOONˊ- goo	bweha	BWEHˊ- ha
fisi	FEEˊ- see	simba	SIMˊ- ba
sungura	SOONˊ- goo-ra	nyati	n - YAˊ- tee
ndege	n - DEHˊ- geh	punda milia	POONˊ- da meh - LEEˊ- ya
kifaru	kee - FAˊ- roo	ng'ombe	n - GOMˊ- beh
swala granti	SWAˊ- la gran - TEEˊ	mbuzi	m - BOOˊ- zee
ngiri	n - GEEˊ- ree		

Copyright © 1993 by Hannah Heritage Bozylinsky. Published by Philomel Books, a division of
The Putnam & Grosset Group, 200 Madison Avenue, New York, NY 10016. All rights reserved.
This book, or parts thereof, may not be reproduced in any form without permission in writing from the publisher.

This edition is printed and published by arrangement with Philomel Books.
This book, or parts thereof, may not be reproduced in any form without permission in writing from the publisher.

SRA Macmillan/McGraw-Hill
250 Old Wilson Bridge Road
Worthington, OH 43085

Printed in the United States of America

ISBN 0-02-687165-3

2 3 4 5 6 7 8 9 0 CDY 99 98 97 96 95